D0119384

Pieter Feller & Natascha Stenvert

De liefste opa
van de
wereld

moon

Lees ook van Pieter Feller & Natascha Stenvert:

Kolletje
Kolletje gaat logeren
Kolletje tovert een broertje
Kolletje tovert een zak met pakjes
Kolletje tovert sneeuw
Kolletje gaat kamperen
Kolletje Het grote verhalenboek
Kolletje gaat naar school
Matser en opa en het knotsgekke boterhammenboek

Eerste druk 2007
Tweede druk 2009

Tekst © 2007 Pieter Feller
Illustraties © 2007 Natascha Stenvert
© 2009 Moon, Amsterdam
Vormgeving Petra Gerritsen

ISBN 978 90 488 0254 8
NUR 272

www.pieterfeller.nl
www.nataschastenvert.nl
www.moonuitgevers.nl

Moon is een imprint van Dutch Media Uitgevers BV.

inhoud

Bang

De ouders van Matser zijn samen een weekje weg. Daarom logeert hij bij opa.

Stilletjes ligt hij in het bed op de logeerkamer. Hij knijpt zijn ogen dicht en probeert te slapen, maar het lukt niet. Het is te warm. Al een paar dagen is het heel mooi weer. Heet zelfs. Een hittegolf.

Het is niet alleen de warmte die hem wakker houdt. Opa's huis vindt hij een beetje eng. Het is een oud huis, met een paar ongebruikte kamers, gangen met donkere hoekjes en trappen die kraken.

Het licht van de maan schijnt op de stoel waarop zijn kleren liggen. Daardoor komt er een heel enge schaduw op het behang. Net een monster.

Wat was dat? Hoorde hij daar iets?

Schuifelt er iets over het vloerkleed?

Matser huivert. Hij gaat vlug rechtop zitten en trekt aan het koord zodat het licht aanfloept.

Er is niks te zien.

Matser hoort opa beneden hoesten.

'Opa is al jaren geleden opgehouden met roken,' heeft zijn vader verteld. 'Maar zijn hoestje is gebleven.'

5

Het geluid stelt Matser gerust. Opa zit beneden in de huiskamer een boek te lezen of televisie te kijken en er is niks aan de hand. Het wordt nu echt tijd om te gaan slapen.
Hij doet het licht uit en gaat weer liggen.

Maar wat is zijn mond toch droog. Plotseling heeft hij heel erge dorst. Een glas water zou wel lekker zijn. Matser strekt zijn arm uit en trekt aan het koord van de lichtschakelaar.

Poef! De kamer blijft pikkedonker. De lamp is kapotgesprongen. Dit is echt griezelig, denkt Matser.

Nu hoort hij toch duidelijk iets. Een krakend geluid komt van onder zijn bed. Matsers hart klopt in zijn keel. Eerst blijft hij doodstil liggen. Maar als hij het geluid weer denkt te horen, springt hij uit bed. Zijn vingers graaien naar de deurknop. Hij rukt de deur open en rent de donkere gang op, naar het verlichte trapgat. Zijn voeten ratelen de trap af en met bonkend hart stormt hij de huiskamer binnen.

Opa kalmeert Matser en schenkt hem een groot glas koude limonade in.
'Opa, ik durf niet meer terug,' zegt Matser.
'Rustig maar, knul. Er is echt niemand anders dan jij en ik in huis.'
Matser neemt een grote slok.

'Weet je wat er aan de hand is?' vraagt opa.

Matser schudt zijn hoofd.

'Er is een angstmannetje dat jou probeert bang te maken.'

'Een angstmannetje?'

Opa knikt. 'Als kind heb ik er ook last van gehad. Nu niet meer. Maar toen ik zo klein was als jij, kwam ik ook vaak bang uit mijn bed. En dat komt allemaal door het angstmannetje. Dat mannetje zit in je hoofd. Het is een stemmetje dat je bang wilt maken.'

Matser knikt.

'Het angstmannetje zegt dat het donker eng is,' gaat opa verder. 'Door hem ga je van gewone geluiden denken dat ze door monsters of spoken gemaakt worden. Het is een rotventje en je moet hem overwinnen.'

Matser kijkt opa nu stoer aan. 'Dat ga ik doen,' zegt hij.

'Kom mee!' zegt opa. Hij pakt een nieuwe gloei- lamp uit de la in de keuken en gaat dan naar boven. Overal doet hij deuren open en klikt het licht aan. Nergens een griezel of geest te bekennen. In de logeerkamer vervangt opa de kapotte gloeilamp en daarna onderzoeken ze samen de hele kamer. Natuurlijk kijken ze ook onder het bed. Alles ziet er heel gewoon uit.

'Dus als het angstmannetje met zijn stemmetje komt,' zegt opa, 'dan zeg je dat hij moet ophoepelen en dat je je niet bang laat maken. Welterusten, knul!'

'Trusten, opa!'

Matser probeert te slapen, maar het is erg warm in de kamer. Als hij zijn pyjama heeft uitgedaan, is het beter.

Een paar keer komt het angstmannetje terug, maar Matser jaagt hem weg en even later valt hij in slaap.

Midden in de nacht wordt hij wakker. Hij moet heel nodig plassen, van de limonade natuurlijk. Hij klikt het licht aan en loopt slaapdronken de gang op. Om de hoek van de badkamer-deur zoekt zijn hand naar de lichtknop.

'Wie-wie is daar?' klinkt het geschrokken.

Het licht floept aan.

Matser staart in het slaperige gezicht van opa. 'Oeps, verkeerde deur,' roept hij. Snel loopt hij naar de badkamer.

Opa had last van een angstmannetje, denkt Matser. En dat angstmannetje was ik! Hij grinnikt, terwijl zijn plas vrolijk in de pot klatert.

Slappe lach

Als Matser op maandag bij opa de tuin in loopt,
heeft hij hem twee dagen niet gezien. Het is een
mooie nazomerdag en ze eten buiten. De tafel
is al gedekt. Matser gooit zijn rugzakje op een
tuinstoel.

'Hoi, o-p-a!' zegt hij. Het lijkt wel of zijn
stem vertraagd is. Dan valt
zijn mond wijd open.

'Ha, Matser. Ga zitten,
jongen! Wat wil je op je
brood?'

Matser staart opa nog
steeds met open mond
aan. Daar staat opa's
huis, dit is zijn tuin, zijn
stem klinkt als die van
opa, dus die man moet
opa zijn, maar...

'Je lijkt op iemand
anders!' roept Matser
verbaasd.

Trots steekt opa
zijn kin in de lucht.
'Ik laat een baard groeien.'

'Een baard?'

'Ja, het lijkt me wel leuk. Bij het schoolplein zag ik een aantal vaders met baarden.'

'Jij bent geen vader, jij bent opa.'

'Ik ben wel vader!'

'Nietes!'

'Welles, ik ben de vader van jouw vader.'

'Dat telt helemaal niet!'

'Nou, een baard is modern en ik vind het ook wel stoer staan. Zeg eens wat je op brood wilt.'

'Doe maar hagelslag.'

Matser loopt naar opa toe, strekt zijn hand uit en voelt aan de stoppels. Sommige zijn donker, maar de meeste zijn grijs. Een beetje wit zelfs.

'Het voelt net als een tandenborstel,' zegt Matser.

Opa zet het bord met de boterham voor hem neer.

'Eet smakelijk, jongen!' Dan begint Matser ineens te grinniken.

'Waar heb je pret om?' vraagt opa.

'Ik moest ineens aan Sinterklaas denken.'

'Ja, dat is een leuke man,' zegt opa. Hij begrijpt er niets van.

'Dat bedoel ik niet. Ik dacht aan Sinterklaas zonder baard. Daar lachte ik om.'

Opa kijkt moeilijk. 'Dat is lastig voor te stellen. Toen ik een kind was, had hij ook al die lange witte baard. Hij is niets veranderd in al die jaren.'

'Bij Sinterklaas hoort een baard,' zegt Matser. 'Maar bij jou niet.'

Opa haalt zijn schouders op. Hij smeert voor zichzelf een boterham en legt er een plakje kaas op. Net als hij een hap in zijn mond heeft gestoken, schiet hij in de lach. Stukjes brood en kaas vliegen over tafel.

'Sorry,' mompelt opa. Snel veegt hij het weg.

'Waar moest je zo om lachen?' vraagt Matser.

'Ik moest er ineens aan denken dat Sinterklaas ook een jongetje is geweest in een korte broek... ha, ha, ha!'

Matser probeert het zich ook voor te stellen. In zijn fantasie ziet het er heel raar uit. Sinterklaas met een mijter, een baard en in een korte broek.

Hij vertelt aan opa wat hij ziet. Die kan zich niet meer inhouden en barst weer in lachen uit.

'Sinterkla-haas,' giert hij. 'Ha, ha, ha!' Opa's buik schudt heen en weer.

Opa steekt met zijn gelach Matser aan. Die begint ook mee te gieren.

Van eten komt helemaal niets meer. Als ze
elkaar maar even aankijken, barsten ze
weer in lachen uit.
Ze kalmeren weer.
'Sinterklaas heeft natuurlijk ook een
zwembroek,' zegt opa, 'een rode met een
geel kruis erop.'
Ze schieten weer in de lach en de tranen
stromen over hun wangen.
In de tuin naast die van opa is buurvrouw
de was aan het ophangen. Telkens hoort ze
gelach. Als ze klaar is, gaat ze eens kijken wat
er aan de hand is.

Opa veegt net zijn wangen droog en probeert Matser niet aan te
kijken.

'Jullie hebben veel plezier,' roept ze over de heg.
'Mag ik meelachen?'
'We hadden het over Sinterklaas,' zegt opa. Hij
moet moeite doen om niet te lachen.
'En dat is leuk?' vraagt buurvrouw.
'Ja, we stelden ons voor dat hij in een korte
broek liep.'
Buurvrouw haalt haar schouders op. Ze ziet er de lol niet van in.
Matser probeert ook weer gewoon te doen. 'Hoi, buurvrouw!'
'Hallo, Matser!'
'Hebt u opa's baard al gezien?'
Buurvrouw leunt wat verder voorover. 'Verrek, nu zie ik het. Ga
je hem net zo lang laten worden als die van Sinterklaas? En dan
zeker met je korte broek aan in de tuin zitten?'

Buurvrouw proest het uit en Matser krijgt ook weer de slappe lach. Opa haalt zijn schouders op, maar als Matser 's middags na school bij opa komt, heeft hij zijn baard weer afgeschoren.
'Buurvrouw lachte erom,' zegt opa teleurgesteld.
'Hij stond je best wel eh... stoer,' zegt Matser en dan barst hij weer in lachen uit.

Sok om je schoen

'Dit is vreselijk,' zegt opa. 'Wat een weer, Matser. We zouden nog
wel bij buurvrouw op de koffie gaan!'
Matser en opa staan in de deuropening. Het heeft een uur gere-
gend op de bevroren straat en nu ligt er een laagje ijs op de stenen.
'Ik zou nog iets lekkers halen bij de bakker,' vervolgt opa.
Matser schuifelt het tuinpad op. Het is net of hij op een bevroren
vijver loopt. Alleen liggen de stenen ook nog schuin. Vlug glibbert
hij weer terug.
'Kunnen we niet gaan schaatsen, opa?'
Opa schudt zijn hoofd. 'Dat is veel te gevaarlijk.' Hij kucht en krabt
op zijn hoofd. Als opa dat doet, weet Matser dat hij nadenkt. Maar
even later komt er een glimlach om opa's lippen en begrijpt
Matser dat hij iets heeft bedacht.
'Ik ken nog een oude truc,' zegt opa. 'Een trucje om niet uit te
glijden. We doen sokken om onze schoenen heen.'
Matser kijkt opa verbaasd aan.
'Ja, het staat wel een beetje gek, maar dan glijd je niet zo
gemakkelijk uit.'
Opa gaat naar boven. Hij komt terug met twee paar oude
wollen sokken. Ze doen hun jassen aan en dan trekt opa
de sokken over zijn schoenen heen.
Het ziet er vreemd uit.
Matser doet het ook, maar de sokken van opa zijn voor hem veel te
groot. Hij trekt ze maar hoog op, tot vlak onder zijn knie. Het ziet

14

er bij hem nog maller uit dan bij opa, vindt hij.
Opa zet voorzichtig een voet op het tuinpad
en probeert of hij kan glijden, maar dat lukt
niet.
'Kom maar, Matser,' zegt hij. 'Deze oude truc
werkt nog steeds heel goed.'

Bij de bakker is het erg rustig. Niet veel mensen
durven de straat op te gaan.
'Wat zal het zijn?' vraagt de vrouw van de bakker.
'Heeft uw man ook iets speciaals gemaakt vandaag?'
vraagt opa. 'IJzelkoekjes of zoiets?'
De bakkersvrouw glimlacht. 'Nee, dat niet, maar we hebben wel
moorkoppen in de aanbieding. Vier voor de prijs van drie. Anders
raak ik ze vandaag nooit kwijt. Er komt geen hond op straat.'
'Doet u er maar vier,' zegt opa.

'Kijk goed uit,' zegt de bakkersvrouw als ze weggaan. 'Als u
uitglijdt en op de taartjes valt, zijn ze zo plat als koekjes.'
'Dan zijn het echte ijzelkoekjes,' zegt Matser.

Buurvrouw staat al in de deuropening als ze aankomen. Ze klapt
in haar handen. 'Daar zijn mijn helden,' roept ze.
'Helden op sokken,' mompelt opa.

'Kom snel binnen, jongens.'
Buurvrouw lacht als ze de sokken om de schoenen ziet.
'Als het maar helpt, daar gaat het om. Maar het staat wel een beetje eh...'
'... dom?' vraagt Matser.
Buurvrouw schudt haar hoofd.
'Jouw opa staat niks dom, hoor. Hij ziet er nog heel goed uit.'
Matser ziet dat opa een beetje rood wordt en zijn buik intrekt. 'Ik ruik de koffie al,' zegt hij snel. 'We hebben er moorkoppen bij gekocht.'
'O, lekker!' roept buurvrouw. Ze kijkt in het doosje.
'Het zijn er vier!'
'Ze waren in de aanbieding.'
'Ja,' zegt Matser. 'Omdat er geen hond op straat komt. Snapt u dat nou, buurvrouw?'
Buurvrouw en opa lachen.
'De ijzelkoekjes waren uitverkocht,' vertelt Matser.
'Ja, ja,' zegt buurvrouw. Ze lacht. 'We houden een taartje over.'
'Eet jij dat maar op,' zegt opa.
'Nee, dat is me te veel, hoor,' zegt buurvrouw. 'Jij kunt het toch wel op.'
Opa trekt zijn buik nog verder in. 'Nee, dan word ik te dik.'
Ze kijken allebei naar Matser. Die knikt en hij kijkt er heel stoer bij, alsof hij zeggen wil: op mij kunnen jullie rekenen.
Het mag wel vaker ijzelen, denkt Matser als hij aan zijn tweede taartje begint. Ze smaken echt verrukkelijk.

17

De verschrikkelijke sneeuwopa

Matser heeft een nachtje bij opa geslapen.
'Opa!' roept hij opgewonden. 'Het heeft wéér gesneeuwd.'
Opa springt gelijk uit bed. Even later lopen ze samen buiten. De sneeuw ligt er nog heel mooi bij, als een gladde, witte deken. Zo vroeg is het nog.
'We gaan sporen zoeken,' zegt opa.
'Leuk!' roept Matser. 'Ik zie er al een. Daar, van een fiets.'
Opa knikt. 'Die is van de krantenjongen. Kijk, daar op straat, bandensporen van een auto.'
Matser gaat achterstevoren lopen. 'Nu lijkt het net of ik naar huis terugloop, opa.'
Opa geeft Matser een hand en gaat ook achterstevoren lopen.
Een vrouw die langsloopt met een hondje kijkt hen verbaasd na.
Opa en Matser grinniken.
'Hondenpootjes,' zegt opa. Hij wijst op de afdrukjes die de hond van de vrouw heeft achtergelaten.
Ze lopen weer gewoon vooruit in de richting van het park.
Midden op het pad ligt een dampende bruine hondendrol.
'Wat dat voor spoor is, hoef ik je niet te vertellen,' zegt opa. Ze knijpen hun neuzen dicht en lopen verder.
Ineens spreidt opa zijn armen en houdt Matser tegen.
Voor hen op de grond is een grote, vreemde afdruk. Opa wrijft over zijn kin. 'Dat is interessant,' mompelt hij.

18

'Wat is dat dan?' vraagt Matser nieuwsgierig.

Opa laat zijn vingers over de afdruk glijden. 'Tja, dit doet me denken aan een stuk dat ik in een blad heb gelezen. Dit lijkt wel... Nee, dat kan onmogelijk.' Opa schudt zijn hoofd.

'Wat lijkt het dan, opa?' Matser wordt steeds nieuwsgieriger.

Opa kijkt eerst om zich heen of niemand hen hoort en dan zegt hij zachtjes: 'Een afdruk van de voet van... de verschrikkelijke sneeuwman.'

Matser zet grote ogen op. 'Waar zijn de andere afdrukken dan?'

'Hij kan grote sprongen maken, hoor.'

Dan barst opa in lachen uit. 'Daar had ik je even mooi te pakken, knul.'

Matser trekt zijn wenkbrauwen op. 'Bestaat die sneeuwman echt, opa?'

'Ach, er zijn mensen die denken dat hij ergens ver weg hoog in de bergen woont. Hij ziet er een beetje uit als een gorilla, geloof ik, maar dan wit. En hij loopt rechtop, net als wij. Maar het is gewoon een sprookje, Matser. Ik geloof er tenminste helemaal niets van.'

Ze lopen het parkje in en beginnen de heuvel op te klimmen. Plotseling glijdt opa uit en valt op zijn achterste. Hij krabbelt overeind.

'Dit is interessant,' mompelt Matser. Hij buigt over de grote ronde afdruk die opa in de sneeuw heeft gemaakt.

'Nou!' zegt opa. Hij klopt de sneeuw van zijn broek.

Matser wrijft nadenkend over zijn kin. 'Dit lijkt wel een afdruk van… de verschrikkelijke sneeuwopa.' Hij grinnikt. 'Die bestaat echt.'

Opa schudt zijn hoofd. 'Leuk, om je opa zo te noemen. En wat ben jij dan wel niet? Het verschrikkelijke sneeuwkind?'

'O,' roept Matser. 'Dat is schelden.' Hij bukt zich en maakt een sneeuwbal. Opa maakt er ook vlug een. Even later vliegen de sneeuwballen door de lucht.

'Verschrikkelijke sneeuwopa!' roept Matser.

'Verschrikkelijk sneeuwkind!' roept opa.

De vrouw met het hondje loopt weer langs. Als ze een eindje verder is, gooit opa voor de lol een sneeuwbal in haar richting. Die spat op haar jas uiteen.

'Hé, bent u gek geworden?' roept ze boos.

'Nee, een hond midden op het pad laten poepen, dat is zeker normaal?' vraagt opa.

'Poeh!' roept de vrouw. Ze steekt haar neus in de lucht en loopt boos door. 'Je bent écht een verschrikkelijke sneeuwopa,' zegt Matser en hij gooit een sneeuwbal, die boven op opa's kale hoofd uiteenspat.

Nieuwjaarsduik

Opa heeft Matser op nieuwjaarsdag heel vroeg van huis gehaald met de auto. Samen moeten ze een flink eind rijden naar het strand, want opa en Matser gaan een nieuwjaarsduik nemen.
Opa heeft dat weleens eerder gedaan, toen oma nog leefde.
Matser heeft onder zijn kleren zijn zwembroek al aan. In een tas in de kofferbak zit een dikke badhanddoek.
'Opa, waar is zo'n duik eigenlijk voor?' vraagt Matser.
'Een nieuwjaarsduik is gewoon een fris en goed begin van het nieuwe jaar. En weet je, Matser, alleen stoere kerels durven in het water te duiken.' Opa kijkt Matser via zijn achteruitkijkspiegel aan. 'En wij zijn stoer, hè?'
Hij ziet dat Matser zijn wenkbrauwen fronst en heel flink probeert te kijken.
'Het is ook heel gezellig om met honderden mensen tegelijk het water in te rennen,' voegt opa er nog aan toe.
Matser kijkt door het autoraampje. De lucht ziet grijs, af en toe slaan er vlagen fijne regen tegen het raam.
'Na afloop krijgen we lekkere erwtensoep met worst en een ijsmuts van een worstfabriek,' vertelt opa.
'O,' zegt Matser. Hij heeft niet vaak erwtensoep gegeten, maar hij herinnert zich nog van vorig jaar dat hij het vies vond.
'Opa, je bent toch ook stoer als je geen erwtensoep lust?'

'Hoezo?' zegt opa. 'Jij lust het toch wel?'

'Ja, ikke wel, hoor,' jokt Matser. Hij wil opa niet teleurstellen.

Als opa de auto de parkeerplaats bij het strand op draait, is die al bijna helemaal vol. Gelukkig is het droog.

Gure windvlagen slaan in hun gezicht als ze de trap bij het strandpaviljoen afdalen. Matser kijkt naar de zee, die er vandaag niet erg aanlokkelijk uitziet. Het water is grijs en op de golven dansen witte schuimkoppen.

Ze lopen het strand op, waar het bijna net zo druk is als op een zonnige zomerdag. Alleen liggen de mensen nu niet te zonnebaden. Ze staan in groepjes te praten. Het zijn niet alleen mannen, ziet Matser, er staan ook heel wat vrouwen en meisjes bij. Die kunnen dus ook stoer zijn.

Opa kijkt op zijn horloge. 'Over vijf minuten is het zover.'

Er zijn mensen die hun kleren al beginnen uit te trekken. Ze bibberen in de koude wind. Opa en Matser beginnen zich ook uit te kleden. Hun kleren stoppen ze in de grote, rode tas die opa heeft meegenomen. Ze slaan hun badhanddoek om zich heen.

Het koude zand kruipt tussen Matsers tenen. Opa ziet er nog witter uit dan anders. Dan klinkt het geluid van een scheepstoeter. 'Het is tijd,' roept opa. 'Rennen, Matser!'

Ze gooien hun handdoeken op de tas en beginnen te lopen.

Om hen heen hollen andere mensen mee. Het zijn er heel veel.

Daardoor verliest Matser opa uit het oog. Zonder op of om te kijken rent hij de ijskoude, grijze, kolkende zee in en duikt in een hoge golf die over hem heen spoelt. Even snakt hij naar adem als hij weer bovenkomt. Hij kijkt om zich heen of hij opa ziet. Dan slaat de volgende golf over hem heen. Haastig loopt hij terug naar het strand, zoals de meeste mensen om hem heen ook doen.

'Hé, jochie, gaat het?' vraagt een dikke vrouw in een zwart badpak. Matser knikt. Hij loopt bibberend het strand op in de richting van opa's rode tas. Opa is er al.

'Hé, opa, dat ging lekker!' Hij klappertandt. Opa slaat snel de badhanddoek om Matser heen en wrijft hem lekker droog. Dan ziet Matser dat opa helemaal niet nat is.

Opa lacht een beetje beschaamd. 'Ik wilde met je meerennen en ineens schoot het in mijn kuit. Ik kon gewoon niet meer verder.'

'Dus je bent de zee niet in geweest?'

Opa schudt zijn hoofd.

Als ze later in het strandpaviljoen aan de erwten-soep zitten, met hun nieuwe oranje ijsmutsen op, is Matser alweer helemaal warm. Hij gloeit zelfs.

Heel voorzichtig neemt hij een paar muizenhapjes van de soep.

Opa heeft zijn soep al op. Matser schuift zijn kop naar opa.

'Opa, jij mag hem wel. Ik ben toch al stoer, want ik ben in de koude zee gedoken.'

Opa knikt.

'Ben ik ook stoer als ik twee koppen erwtensoep opeet?' vraagt opa.

'Dat is nog veel stoerder dan de zee in duiken,' vindt Matser.

Kerst**fik**

Opa en Matser halen de laatste ballen en slingers van de kerst-
boom en stoppen ze in een doos.
'Zo,' zegt opa, 'die oude boom heeft zijn beste tijd wel gehad.'
Matser begrijpt wat hij bedoelt. Toen ze de lichtjes eraf haalden,
vielen de naalden al bij bosjes op de grond. Het vloerkleed ziet
helemaal groen.
'Wat ga je met de boom doen?' vraagt Matser.
'Die wordt van de week opgehaald door de vuilnismannen.'
'Jammer,' zegt Matser. 'Bij ons worden ze op een grote stapel
gegooid en allemaal verbrand. Dat fikt lekker, joh!'
Opa kijkt naar de kerstboom en dan naar Matser.
'Ja, dat deden ze hier vroeger ook. Ik weet nog wel dat het lekker
fikte... eh... brandde.'
Opa denkt even na. 'Weet je wat, Matser,' zegt hij dan. 'We halen
de boom van buurvrouw ook op en dan gaan we die samen met
deze verbranden, ergens op de dijk.'
'Fikkie stoken, opa?'
'Ja.'

Een kwartier later zitten ze samen op de fiets. Opa
voorop en Matser op de bagagedrager. Opa heeft de
twee bomen achter zijn fiets gebonden.
Zo sleept hij ze
naar de dijk.

Het waait stevig. Opa moet hard doortrappen. Hij hijgt ervan.

Onderweg komen ze kinderen tegen die ook met oude kerst-bomen slepen.

'Waar gaan jullie heen?' roepen ze naar opa en Matser.

'Naar de dijk, fikkie stoken,' antwoordt Matser.

'Leuk, wij komen ook!' roepen de kinderen.

Als ze bij de dijk aankomen, moet opa even uitrusten.

De kinderen arriveren niet veel later. Het zijn er vijf en ze hebben allemaal een oude kerstboom bij zich.

Sommigen wel twee.

Opa neemt de leiding. 'Jongens en meisjes,' zegt hij. 'Laten we een grote stapel maken en die dan in de fik steken.'

'Ja!' roepen de kinderen enthousiast.

'Mag dat wel, meneer?' vraagt het kleinste meisje van het stel.

De anderen lachen. 'Nee, natuurlijk niet,' wordt er geroepen.

'Ach,' zegt opa. 'Hier kan het toch geen kwaad. We doen het onder aan de dijk, vlak bij het water.' Hij wijst naar stukken hout die zijn aangespoeld. 'Als we die er ook nog bij leggen, wordt het een heel groot vuur.'

Opa begint de oude kerstbomen op te stapelen en de kinderen gaan het wrakhout verzamelen. Het wordt een enorme stapel. Daarna trekt opa een oude krant en een doosje lucifers uit zijn zak. De kinderen gaan in een kring om hem heen staan om de wind weg te houden. Het kost opa vijf lucifers voordat de krant eindelijk goed brandt. Al snel vatten de droge kerstbomen vlam en begint het vuur te knetteren. Matser geniet ervan. Af en toe zakt de stapel een beetje in en waaien er vonken over de dijk.

Dan begint het te regenen. Het hout wordt nat. Al snel komt er een dikke rookwolk vanaf, die je op grote afstand kunt zien.

'Jammer!' roepen de kinderen.

Toch is het vuur nog lang niet gedoofd.

Ineens klinkt er een kreet.

'Politie!'

Boven aan de dijk is een politieauto verschenen.

De kinderen beginnen over de stenen weg te hollen.

'Opa! Rennen!' roept Matser.

Opa schudt zijn hoofd. 'Dat kan ik echt niet meer, Matser.'

De regen is opgehouden en het vuur laait weer behoorlijk op. Rustig wachten ze af tot de politiemannen bij hen zijn. De oudste neemt het woord.

'Wat zijn we hier aan het doen?' vraagt hij streng.

Opa grijnst. 'We verbranden een paar kerstbomen. Dat is alles.'

'U weet toch dat dat verboden is?'

Opa haalt zijn schouders op. 'Och...'

'Wij deden het ook altijd,' zegt de jonge agent. Hij grinnikt.

'Wij niet,' zegt de oudere agent en hij kijkt hem boos aan.

'Meneer hier geeft een verkeerd voorbeeld aan de jeugd.'

'Het was altijd wel leuk,' gaat de jonge agent verder.

Uit de politieauto klinkt het gekraak van de radio. De jonge agent rent de dijk op en luistert.

'Kees!' roept hij. 'We moeten uitrukken. Een overval op het tankstation.'

'U hebt geluk,' zegt de oudere agent. Hij begint de dijk op te klimmen. Bovenaan draait hij zich om.

'Laat ik het niet weer zien,' roept hij en hij springt in de wagen.

Matser en opa schudden hun hoofd. Ze warmen hun handen aan het vuur.

'Er gaat niks boven een lekker fikkie,' vindt opa. In de gloed van het vuur ziet zijn gezicht er jongensachtig uit.

Sjoerd de woerd

'Vandaag gaan we de eendjes in het
park maar eens voeren,' zegt opa.
Matser trekt zijn neus op. 'Wat is
daar nu aan. Ik ben toch geen kleuter meer?'
'Ik toch ook niet,' zegt opa.
Matser lacht. 'Nee, zo'n dikke kleuter heb ik nog nooit gezien.'
Samen staren ze door het raam naar buiten. Het ziet er allemaal
kaal en triest uit. Al een paar dagen vriest het keihard.
Opa zegt: 'De dieren hebben het zwaar in dit koude weer.
Ze kunnen wel wat extra voedsel gebruiken.'
Daar had Matser helemaal niet aan gedacht.

De vijver in het parkje is bijna dichtgevroren. Bij het trapje naar
het water is een gat gehakt. Er zitten wat eenden op de walkant
en op het ijs rondom het wak. Verderop schaatsen kinderen.

Een paar eenden komen op opa en Matser af schommelen.
Andere springen in het water. Matser strooit gul met stukjes
brood. Opa heeft een half bruinbrood in blokjes gesneden.
Het was niet eens oudbakken.
'Kijk, opa!' roept Matser. Hij wijst op een mannetjes-
eend die alleen op het ijs is achtergebleven.

Het beest doet wel pogingen om in het water
te springen, maar dat lukt om de een of
andere reden niet. Opa gooit een paar
stukjes brood in zijn richting. De eend kan er niet bij komen.
'Hij zit met een pootje vastgevroren, denk ik,' zegt opa.
Matser schrikt. 'We moeten hem redden!'
Opa knikt. 'Wacht jij maar hier, dan ga ik spullen halen.'
Vijf minuten later is hij er alweer, met een plank, een schepnet
en een hamer.
Opa loopt het ijs op en legt de plank tot vlak bij de eend.
Dan loopt hij eroverheen naar het dier toe.
Het ijs kraakt, want bij het wak is het niet dik. Matser kijkt
gespannen toe. De schaatsende
kinderen hebben in de gaten dat
er iets bijzonders aan de hand is
en komen kijken.
Opa heeft de eend
bereikt en begint met
de scherpe punt
van de hamer in
het ijs te hakken.

Ineens is de eend los. Er zit een klompje ijs aan zijn pootje. Opa legt vlug het schepnet over hem heen.

'Help eens even!' roept opa naar de toekijkende kinderen. Ze pakken het schepnet met de eend van opa aan.

'Gered!' roept Matser. Hij klapt van blijdschap in zijn handen. Opa loopt van de plank en neemt de eend onder zijn arm. Vlak bij de kant zakt hij ineens met beide benen door het ijs.

Tot aan zijn knieën staat hij in het ijskoude
water.
Als opa maar niet blijft staan, denkt Matser,
anders vriest hij net als de eend vast aan het ijs.
Maar gelukkig kan opa snel op de kant krabbelen.
Matser mag de eend naar huis dragen. Hij drukt
hem goed tegen zich aan. Opa loopt met soppende schoenen
naast hem.
In het schuurtje pakt opa een teiltje, dat hij vult met water voor
de eend. Ze hebben hem Sjoerd genoemd. Sjoerd de woerd, want
zo heet een mannetjeseend.

In de keuken laat opa voor zichzelf een bakje vollopen
met warm water. Daar gaat hij met zijn voeten in
zitten.
De hele tijd loopt Matser van de schuur naar de
keuken en weer terug om te kijken hoe Sjoerd en
opa met hun voeten in het water zitten.
Sjoerd lijkt helemaal geen last meer te
hebben van zijn bevroren pootje. Als het ijs
er helemaal af is, ziet het er heel gewoon uit.

Ook opa voelt zich snel weer kiplekker. Zijn broek en sokken
zitten in de wasmachine; zijn schoenen staan met krantenpapier
erin bij de verwarming.

Aan het eind van de middag kan Sjoerd terug naar de vijver.

Bij het loslaten stribbelt hij zo tegen dat de veren
in het rond vliegen. Een klein groen veertje blijft
recht op zijn kop staan. 'Dag, Sjoerd!' roept
Matser als de eend luid kwakend naar zijn
vriendjes toe vliegt.

Nog dagenlang kunnen ze zien wie Sjoerd is, door
het rechtopstaande veertje. Hij lijkt zich heel goed
te redden en Matser gooit hem elke dag extra veel
brood toe.

'Vind je dat nou niet kinderachtig, de eendjes
voeren?' vraagt opa plagend.

Matser denkt even na. 'Nee, hoor, opa,' zegt hij na een tijdje.
'Als de eenden doodgaan, waar moeten de kleuters dan heen?'

'Tja,' zegt opa, 'dat weet ik ook niet.'

'We doen goed werk,' zegt Matser en hij gooit nog maar een
handje brood naar de eenden, die al erg dik en rond zijn
geworden.

Elfsteden**tocht**

Het heeft een paar dagen hard gevroren en de vijver
in het park ligt helemaal dicht. Opa en Matser
binden hun schaatsen onder. Matser heeft vorig jaar
al leren schaatsen en opa kan het al heel lang.
Als ze een kwartier hebben geschaatst, gaan ze op
een bankje zitten en drinken een beker warme choco-
lademelk die opa bij het kraampje langs de kant heeft gekocht.
'Matser, weet jij wat de Elfstedentocht is?'
Matser schudt zijn hoofd.
'Dat is de langste schaatstocht van Nederland. Hij gaat langs elf
Friese steden.'
'Zoveel?' vraagt Matser verbaasd. Elf steden, dat is heel wat.
Opa knikt. Hij begint ze op te noemen: 'Sneek, Leeuwarden,
Hindeloopen, Dokkum, Workum en eh...' Opa denkt diep na,
maar meer namen kan hij niet bedenken. 'Lang geleden heb ik
die tocht ook gereden. Het was heel erg koud, dat weet ik nog.
Dus je begrijpt wel dat ik toen goed kon schaatsen. Ik was nog
niet met oma getrouwd, maar ze was
mijn verloofde. Ze stond me op te
wachten bij de finish. Ze was heel
trots op me.' Opa glundert.
'Ja,' zegt Matser. 'Dat kan ik me
voorstellen, opa.' Hij staat op
en gaat weer lekker schaatsen.

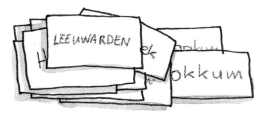

Als hij nog een keer langs opa
komt, roept die: 'Ik ga even naar
huis, iets halen.'
'Goed, opa. Tot straks!'
Tien minuten later is opa er weer,
met een hand vol papiertjes. Als Matser dichterbij komt, ziet hij
dat het kartonnetjes zijn. Elf kartonnen kaartjes met de namen
van de Friese steden erop. 'Wat ga je doen, opa?'
'Ik heb de namen van de steden opgezocht. De kaartjes ga ik
op het ijs leggen. Dan is het net alsof we zelf de Elfstedentocht
rijden.'
Opa schaatst met de kaartjes de vijver op en legt ze neer. Matser
volgt hem.
'Zo,' zegt opa. 'We starten in Leeuwarden.'
Ze staan samen bij het kaartje. 'Klaar... af!' roept opa.
Ze sprinten naar het kaartje met Sneek erop. Opa ligt een klein
stukje voor op Matser als ze Sneek passeren. Bij het kaartje
met IJlst kijkt opa achterom waar Matser blijft. Maar dat had

hij beter niet kunnen doen. Hij stapt met
zijn rechterschaats op het kaartje en
glijdt keihard onderuit. Het dreunt
helemaal op het ijs. De eenden bij
het wak kijken verwonderd om.
Matser schaatst vlug naar opa toe.
'Pijn gedaan?'
Opa wrijft over zijn billen. 'Eh, ja...
wel een beetje. Ik ga maar even... eh
voorzichtig op het bankje zitten.'
Samen drinken ze nog een kop chocolademelk en daarna

schaatst Matser wel tien keer de Elfstedentocht op de vijver. Opa
blijft aan de kant zitten en wrijft telkens over zijn billen.
Als ze aan het eind van de middag thuis komen, heeft opa nog
steeds een beetje pijn. Moeizaam klimt hij de zoldertrap op. Hij
gaat op zoek naar zijn schaatsmedailles, die hij aan Matser wil
laten zien.
Na een tijdje komt hij beneden met een oud sigarenkistje, dat hij
voor Matser op tafel zet. Het puilt uit van de medailles, met kleu-
rige linten eraan. Allemaal van schaatstochten die opa vroeger
heeft gereden.
'Verdikkie,' bromt opa. 'Waar is mijn elfstedenkruisje
nu?' Eindelijk heeft hij het gevonden.

'Kom eens hier, Matser!'
Opa speldt het elfstedenkruisje op de trui van
Matser.
'Mag ik hem hebben?' vraagt Matser opgewonden.
Opa knikt. 'Omdat je al heel goed kunt schaatsen
en omdat je de tocht vanmiddag wel tien keer hebt
gereden.'
'Ja, maar opa... dat was niet echt.'
'Dat geeft niet. Als je veel oefent en er komt nog eens een heel
koude winter, dan kun jij de Elfstedentocht ook rijden en je eigen
kruisje verdienen. En misschien staat jouw vriendinnetje dan
wel op jou te wachten.'
Matser knikt en kijkt trots naar zijn medaille. Hij snapt best
waarom er nu tranen in opa's ogen komen: hij heeft natuurlijk
nog pijn aan zijn billen.
Hij legt een arm om opa's schouders. 'Het gaat heus vlug over,
hoor opa.'
Die knikt stilletjes.

Troostsnoepjes

Opa zit in zijn leunstoel, stil en een beetje in elkaar gedoken. Matser houdt opa's hand vast en kijkt naar hem. Opa staart voor zich uit. Hij draagt een pak dat hij normaal nooit aan heeft. Matser kent het pak wel zonder opa erin. Het hangt in de kast op opa's kamer. Matser heeft weleens gevraagd

wanneer opa dat pak zou gaan dragen. 'Bij bijzondere gelegenheden,' had opa geantwoord. Vanmorgen was het zo'n bijzondere gelegenheid. Bij de begrafenis van opa's broer Peter.

'Opa, ben je erg verdrietig dat je broer is doodgegaan?' vraagt Matser. Hij vindt dat opa lang genoeg heeft gezwegen.
Opa schrikt op, net of hij zat te dromen.
'Eh, ik ben wel een beetje droevig, maar ik voel me eigenlijk een tikkeltje raar.'
'Raar?'
'Ja, ik ben drie jaar ouder en het is raar als je jongere broer zomaar doodgaat.'
Dat begrijpt Matser best.
'Ik had hem al jaren niet gezien,' gaat opa verder. 'Hij ging zo zijn eigen gang. Eigenlijk was hij het zwarte schaap van de familie.'
Ze horen de achterdeur opengaan.

'Joehoe!' Het is buurvrouw.

'Hallo, jongens!'

'Hoi, buurvrouw!' groet Matser.

Opa glimlacht naar haar. Matser ziet dat de glimlach droevig en blij tegelijk is. Droevig omdat zijn broer dood is en blij omdat opa het fijn vindt dat buurvrouw er is.

Buurvrouw legt een arm om opa's schouder.

'Hoe is het met je?'

'Gaat wel!'

'Opa was net aan het vertellen dat zijn broer een zwart schaap was,' zegt Matser.

'Is dat zo?' vraagt buurvrouw verbaasd.

'Alleen snap ik niet wat hij bedoelt.'

'Ik zal het je uitleggen,' zegt opa. 'Welke kleur hebben de meeste schapen?'

'Wit natuurlijk,' antwoordt Matser.

'Precies. Een zwart schaap valt in een kudde op. Het is anders dan de andere schapen. Zo is het met mensen ook. Een zwart schaap in de familie is iemand die opvalt en zich anders gedraagt dan de rest. De rest vindt dat meestal niet leuk. Mijn vader en moeder vonden Peter het zwarte schaap, omdat hij niet deed wat ze van hem verwachtten. Hij moest eigenlijk net als ik in de zaak van onze vader komen werken.

Hij had ook meester mogen worden of bakker of slager. Maar wat deed mijn broer?'

Matser en buurvrouw weten het niet.

'Mijn broer wilde het circus in.'

'Echt waar, opa? Dat vind ik hartstikke leuk.'

'Och jee,' zegt buurvrouw.

'Ja, kinderen vinden circussen leuk,' zegt opa.

'Maar het is een hard bestaan en mijn vader en moeder vonden het maar niks. Mijn broer trok zich niets van hen aan. Hij ging in het circus werken en daarna werd hij zeeman en ging varen.'

'Waarom had jij geen contact met je broer?' vraagt buurvrouw.

'Ach, in het begin stuurde hij nog weleens een kaartje, maar dat werd steeds minder. Mijn broer was niet zo'n schrijver. Eigenlijk ook geen prater. Het was een stille jongen.'

'Nu is hij nog stiller,' flapt buurvrouw eruit.

Matser schiet in de lach.

'Het spijt me,' zegt buurvrouw snel. 'Het is niet goed om met de dood te spotten.'

Opa glimlacht. 'Geeft niet, hoor.'

Matser ziet dat buurvrouw een beetje vreemd staat te draaien.

'Buurvrouw, wat houdt u achter uw rug?'

'Dus je hebt me door?' Ze haalt haar hand tevoorschijn. Er zit een zakje in.

'Troostsnoepjes voor je opa.'

'Troostsnoepjes?'

43

'Ja, dat heb ik van mijn moeder geleerd. Als ik vroeger een beetje
verdrietig was, kocht ze voor mij bonbons bij de bakker en
die aten we dan samen aan de keukentafel op. Ze noemde het
"troostsnoepjes". Ik dacht dat je opa die ook wel kon
gebruiken.'
Opa wrijft in zijn handen. 'Lekker! Ik ga er meteen
een pot thee bij zetten.'
Hij gaat de keuken in. Matser zet de radio aan
en zoekt een zender met vrolijke muziek.
Buurvrouw zet de kopjes klaar.
Even later drinken ze met elkaar thee.

Matser met een grote scheut melk
erin. Met zijn drieën smullen ze van de
bonbons.
Opa en buurvrouw zitten lekker te kletsen
over opa's broer en af en toe lachen ze zelfs. Die
'troostsnoepjes' van buurvrouw werken geweldig, denkt Matser.
Hij hoeft zelf niet getroost te worden, maar dat maakt niet uit.
Als opa en buurvrouw even niet kijken, propt hij snel twee
bonbons in zijn mond. Ze smaken héérlijk!

Landhuisje

'Dit is het nu,' zegt opa.

Matser en opa hebben wel een halfuur gefietst naar het bos.

Ze staan voor een huisje met een grappige naam, vindt Matser.

Het heet 'Landhuisje'. Opa heeft het geërfd van zijn broer.

'Hij heeft het zo genoemd omdat hij altijd op zee zat. Dit was zijn plekje op het land.'

Het is een houten huisje met een puntdak. De planken zijn groen geverfd en de kozijnen wit, maar overal laat de verf los.

'Mooi, opa.'

'Wat je mooi noemt,' zegt opa. 'Maar ja, je mag een gegeven paard niet in de bek kijken.'

'Een paard?'

'Dat is een uitdrukking. Het betekent dat als je iets krijgt, je daar tevreden mee moet zijn. Want je kunt beter iets krijgen dan niets.'

Matser denkt na. 'Behalve dan een ziekte.'

'Daar heb je gelijk in, Matser. Een ziekte krijgen is niet leuk. Kijk maar naar mijn broer. Die kreeg er een en nu is hij dood.'

Opa en Matser lopen om het huisje heen.

'Dit huisje lijkt ook wel een beetje ziek,' zegt opa. 'Kijk, daar zit de dakbedekking los en ik zag net een barst in een ruit.'

Matser ziet dat de regenpijp helemaal kapot is. Aan de voorkant van het huisje loopt een pad van tegels waarvan er niet een recht ligt.

Opa steekt de sleutel in het slot en duwt tegen de
deur. De scharnieren piepen en de onderkant van de
deur schuurt over de drempel.

Het huisje heeft twee kamers. Een kleine waarin een
bed en een kast staan en een grotere, die huiskamer
en keuken tegelijk is. Daar staan een tafel en een
paar stoelen, een kastje met een oude radio erop. De
vloer kraakt en overal ligt stof. Aan de muur hangt
een houten ladder.

'Waar is die voor?' vraagt Matser.

Opa wijst op een luik in het plafond.

'Daar is een vliering. Ik denk dat mijn broer daar zijn
oude spulletjes heeft opgeslagen.'

Opa kijkt om zich heen en zucht.

'Ik denk,' zegt hij, 'dat ik dit huisje maar verkoop.
Wat moet ik er anders mee?'

'Jammer,' vindt Matser. 'Ik vind het leuk hier in het
bos.'

'Er moet veel aan opgeknapt worden,' gaat opa verder.

Boven zich horen ze zachte geluidjes.

'Wat is dat, opa?'

'Ik denk muizen op de vliering.'

'Leuk, huisdieren,' roept Matser. Hij loopt
naar de achterkant van het huisje. Daar
zijn twee openslaande deuren. Ze zwaaien
zonder te piepen open. Het is net of het huisje
ineens meewerkt. Er ligt een terras met
tegels die al net zo scheef liggen als bij het
pad aan de voorkant.

'Ik kan hier in de bomen klimmen en een hut bouwen. Dat kan bij ons niet. En als de zon schijnt, kunnen we buiten zitten en je kunt buurvrouw uitnodigen.'

Als opa het woord 'buurvrouw' hoort, komt er een glimlach om zijn lippen. Hij komt naast Matser staan en ze kijken naar het bos. Vandaag is het geen weer om buiten te zitten. Het is kil en bewolkt.

'Denk je dat ze dat leuk zal vinden?'

Matser knikt enthousiast.

'Natuurlijk, opa!'

'Ik vind het wel ver fietsen, hoor,' zegt opa somber. 'Elke keer een halfuur. Ik weet niet.'

Matser denkt na.

'Opa, weet je wat mama gisteren zei?'

Opa schudt zijn hoofd.

'Dat jij de laatste tijd nogal dik bent geworden en dat je meer moet bewegen.'

'Ik, dik?' Opa trekt zijn buik in. 'Valt best mee. Buurvrouw vindt mij helemaal niet dik.'

'Misschien houdt buurvrouw van dikke mannen,' zegt Matser nadenkend.

Opa kijkt hem nu verontwaardigd aan. 'Dus jij vindt mij ook dik?'

'Een beetje maar,' zegt Matser.

'Goed, goed,' zegt opa. Hij doet net of hij boos is. Maar Matser heeft wel door dat hij het speelt. 'Ik ben een dikke oude opa.

Leuk dat je me zo noemt, Matser.'
Matser pakt opa's hand. 'Maar je bent wel een lieve opa, hoor.
En je bent nog liever als je dit huisje houdt.'
Opa kijkt Matser hoofdschuddend aan. Hij lacht alweer.
'Misschien ben ik ook wel ietsepietsje te dik,' geeft hij toe.
'Vroeger lette oma erop dat ik niet te veel at, maar sinds ik alleen
ben, kan me dat niet zoveel schelen. Inderdaad kan ik wel wat
extra beweging gebruiken en fietsen is bewegen.'
'Dus je houdt het, opa?'
'Ja,' beslist opa, als hij het hoopvolle gezicht van Matser ziet.
'Ik ken een handige man die het huisje kan opknappen. En weet
je wat? Ik laat hem wat extra hout meenemen. Dan gaan we
samen een hut voor je bouwen.'
Matser vliegt opa om zijn nek en geeft hem een
kus.
'Leer je me dan timmeren, opa, met een hamer?'
                        'Ja.'

                        'En zagen?'
                        'Ook.'
                    'En nijptangen?'
                  Opa grinnikt.
'Ja, ik leer je ook hoe je spijkers uit hout
moet trekken.'
Matser begint joelend om het huisje heen
te hollen.
Hij is zo blij dat opa het huisje houdt en dat hij
een eigen hut krijgt, dat hij op de terugweg keihard naar huis wil
fietsen om het aan zijn vader en moeder te vertellen. Opa kan
hem amper bijhouden. Hij zucht en steunt.

Als Matser merkt dat opa achteropraakt, gaat hij langzamer
fietsen. Zo langzaam dat opa hem voorbijrijdt.
'Wacht, opa, niet zo snel!' roept hij voor de grap.
'Ik ga wel wat langzamer, hoor,' zegt opa lachend.
Het is echt nodig dat ik wat aan mijn conditie doe, denkt hij. Dan
komt er een denkrimpel in zijn voorhoofd.
'Zal buurvrouw het wel mooi vinden, als ik mijn buikje kwijt-
raak?' vraagt hij aan Matser.
'Dat weet ik niet, opa. Maar dan ga je toch meer snoepen? Koek
en taart.'
Opa's gezicht klaart op. Hij glimlacht als hij denkt aan de gezel-
lige koffie- en theevisites met buurvrouw.
Ze naderen het stadje.
'Wie het eerste thuis is, opa?' vraagt Matser.
'Is goed!'
Matser sprint ervandoor. Hij ligt algauw ver voor. Opa zou hem
makkelijk kunnen verslaan, hoor. Maar opa's laten kleinzonen nu
eenmaal graag winnen. Tenminste, dikke, lieve opa's wel.

Beroep: opa

Het is veertien dagen geleden dat ze het huisje in het bos voor het laatst hebben gezien.

'Wauw!' roept Matser. 'Het is mooi geworden.'

Opa knikt blij. De man, of zoals opa zegt 'het mannetje' dat het huisje moest opknappen, heeft hard gewerkt. Heel hard. Het ziet er als nieuw uit. De tegels van het pad liggen weer recht, de kapotte ruit is vervangen en de dakgoot en regenpijp zijn vernieuwd. Alles is ook keurig geverfd.

Matser en opa lopen om het huis heen. Op het terras ligt een stapel planken, balken, een groot pak spijkers en nog wat spulletjes.

'Is dat voor mijn hut?'

Opa knikt.

'Waar zullen we hem bouwen, opa?'

Ze kijken rond.

'Wat denk je daarvan?' Opa wijst naar een groepje bomen op een kleine heuvel een meter of twintig van het huisje. Matser rent ernaartoe en kijkt om zich heen.

'Op een heuveltje blijf je lekker droog,' zegt opa. 'Dat weet ik nog van vroeger toen ik kampeerde met de tent.'

Matser vindt het ook een goed plekje.

'Laten we dan snel beginnen, opa.'

Samen slepen ze planken naar de bouwplek. Opa
haalt uit het hokje dat aan het huis gebouwd
is en waarin ook de wc en de douche zijn, het
gereedschap.

Matser vindt dat opa heel goed kan zagen en timmeren.
'Was jij vroeger timmerman?' vraagt hij.
Opa zaagt een plank af. Zweetdruppels staan op zijn voorhoofd
en hij is buiten adem. Hij schudt zijn hoofd.
'Wat was je dan voordat je opa was?' vraagt Matser ongeduldig
door.
Opa legt de zaag neer en veegt zijn voorhoofd met
een zakdoek af. Hij kucht en blaast, voordat hij
kan praten.
'Toen was ik vader.'
Matser vindt opa een beetje dom doen.
'Nu is je beroep opa, maar vroeger dan?'
Opa schiet in de lach. 'O, ik had een eigen
bedrijfje. Ik was boekbinder.' In Matsers voorhoofd
komt een rimpel. Wat zou een boekbinder doen,
denkt hij.

'Bond je boeken aan elkaar met touwtjes?'
'Bijna goed, Matser. Een boek bestaat uit allemaal
blaadjes en die bond ik bij elkaar. Daar had ik
speciale machines voor.'

Ze spijkeren samen een plank vast.
'Was dat leuk werk, opa?'
'Ik had er wel lol in en dat is belang-
rijk als je werkt.'

'Het lijkt mij zo saai. Opa zijn is toch veel leuker?'
Opa grinnikt. 'Ja, daar kan niets tegenop.'
Ze werken een tijdje zwijgend door en het hutje van Matser
begint vorm te krijgen. Je kunt al zien hoe groot het wordt en
waar de deur komt.
Als opa de zoveelste plank heeft afgezaagd, is hij
echt heel erg moe.
'We gaan uitrusten, Matser.'
Op het terras blazen ze uit. Opa drinkt
koffie en Matser zuigt door een rietje
appelsap uit een pakje.
'Wat wil jij later worden, Matser?'

Matser neemt een hap van een boterham met pindakaas.
'Ik denk,' zegt hij als zijn mond leeg is, 'ik denk dat ik ook
opa word.'
'Opa word je vanzelf,' zegt opa. 'Dat is gewoon een kwestie
van afwachten. Nou ja, zo ongeveer. Eerst moet je
verliefd worden op een meisje.'
Matser kijkt of hij net in iets vies heeft gehapt.
'Moet dat?'
'Ja, want je moet trouwen, kinderen krijgen en als die
dan weer kinderen krijgen, dan pas word je opa.'
'Goh, dat duurt zeker erg lang,' zegt Matser.
'Ja, dus moet je in de tussentijd gaan werken. Je zult toch geld
nodig hebben.'
Matser kijkt nadenkend. 'Ik weet nog niet wat ik word,' zegt hij.
Als ze een paar boterhammen op hebben, gaan ze weer aan de
slag.
Voor het dak van de hut heeft opa iets bijzonders bedacht.

54

Hij timmert een soort bak die hij met plastic
bekleedt. Later komt daar aarde in en daar
gaat opa dan weer gras in zaaien. Zo krijgt
Matsers hut een soort hoed van gras.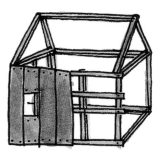
Tussen de bomen valt hij dan haast niet
op.
Er moet nog wel het een en ander aan
gebeuren, maar toch is Matser nu al trots
op zijn hut en op opa, natuurlijk.
Opa is echt doodop. Hij leunt hijgend tegen de hut. Matser rent
naar het terras en sleept een stoel aan. Dankbaar ploft opa erop
neer. 'Hè, hè, dat was zwaar werk, zeg. Ik zou nog wel een kopje
koffie lusten.' Hij knipoogt naar Matser.

'Komt eraan, opa.'
Op het terras schenkt Matser hete koffie uit de
thermoskan. Hij knoeit wel een beetje, maar dat
geeft niet. Het is toch buiten. Dan loopt hij voorzichtig
naar opa.
'Dank je, knul.'
Matser kijkt hem glimlachend aan.
'Nu weet ik ook wat ik ga worden,' zegt hij.
'Opaverzorger!'
'Bejaardenverzorger, bedoel je. Maar opa's kunnen ook oude
zeurpieten zijn, hoor. Dus weet waar je aan begint.'
Matser schudt zijn hoofd. 'Ik vind jou geen oude zeurpiet, opa.'
'Nee, ik ben dat uiteraard ook niet,' zegt opa. Hij grinnikt. 'Ga je
alleen mij verzorgen dan?'
Matser knikt. 'Want in jou heb ik lol en dat is toch belangrijk?'
Daar kan opa echt niets tegen inbrengen.

Het spookbos

Matser en opa blijven vandaag in het boshuisje slapen. Met een
klap slaat Matser zijn leesboek dicht. Opa schrikt ervan.
'Uit!' roept Matser.
Opa heeft zijn boek nog lang niet uit. Matser gaat
naast hem staan. Op de bladzijden staan kleine
letters en hij ziet helemaal geen tekeningen.

'Waar gaat je boek over?'
Opa doet zijn boek dicht en legt het op de stoel-
leuning. 'Over bosgeesten,' fluistert hij.
'Oei, eng zeker?'
'Ja, voor kinderen wel. Maar voor grote mensen zoals ik
natuurlijk niet. Wist jij dat er over de hele wereld volken zijn die
geloven dat er vreemde wezens en geesten in de bossen wonen?'
Matser schudt zijn hoofd. 'Dat is toch niet waar?'
'Welnee, knul. Ze verzinnen altijd van alles. Er wonen alleen
dieren in het bos. Maar mensen houden wel van griezelen.'
'Nou, ik niet, hoor,' zegt Matser. 'Ik durf niet eens in het spook-
huis op de kermis.'
'Dat had ik vroeger ook,' bekent opa. 'Mijn vader vond dat ik
me aanstelde en ik moest met hem mee het spookhuis in.
Hij geloofde dat als ik er eenmaal in was geweest, mijn angst
weg zou gaan. Maar weet je wat ik deed?'
Matser schudt zijn hoofd.
'Tijdens de hele rit in het wagentje hield ik mijn ogen dicht en

drukte mijn handen tegen mijn oren. Als ik dacht
dat we er bijna uit waren, deed ik mijn ogen weer
open. Mijn vader had niets in de gaten.'
Matser grinnikt. 'Wat een bangeschijter was je.'
'Ik geef toe dat ik geen held was. Maar mijn
vader probeerde van mijn broertje en mij altijd
flinke jongens te maken.'

'En nu ben je dat wel, hè?'
'Och,' zegt opa bescheiden. 'Ik ben nooit een held geworden.'
Hij staat op uit zijn stoel. 'Zullen we een stukje in het bos
wandelen voor we naar bed gaan? Van boslucht word je altijd
lekker slaperig.'
Matser heeft er wel zin in.
De zon is al haast onder en in een bos wordt het altijd net iets
sneller donker dan in de stad. Het is al aardig schemerig. Matser
pakt opa's hand beet.
'Opa?'
'Ja.'
'Wat voor beestjes wonen er allemaal in het bos?'
'Dat weet je toch wel, knul.'
Matser begint de dieren op te noemen die hij kent. 'Eekhoorns,
konijntjes, vossen, vogels, egels...'

'Heel goed,' zegt opa. 'Maar er zijn er nog meer, zoals allerlei insecten, herten, wilde zwijnen en ook wel hagedissen, vleermuizen en slangen...'

Dat laatste had hij nou niet moeten zeggen. Matser knijpt keihard in opa's hand, alsof hij hem nooit meer wil loslaten. 'S-slangen? Zijn die ge-gevaarlijk?'

'Welnee, het zijn kleine ringslangen. Die zijn banger voor ons dan wij voor hen.'

'O, gelukkig,' verzucht Matser. 'Zijn er nog meer wilde dieren, opa? Wolven of beren?'

hellepie!

'Die waren hier vroeger wel, maar die zijn allang uitgestorven.' Matser haalt opgelucht adem. Hij hoort vaak dat het erg is dat dieren uitsterven, maar nu is hij blij dat die roofdieren er niet meer zijn.

Plotseling horen ze in het bos wat ritselen. Net of er pootjes door
de dorre bladeren rennen. 'Zullen we maar weer naar het huisje
lopen?' vraagt Matser. 'Ik ben erg moe.' Hij doet net of hij heel
hard gaapt. 'Woe-aah.'
'Je hoeft niet bang te zijn, Matser. Ik ben toch bij je.' Matser kijkt
angstig in het donker tussen de bomen.

Ziet hij daar een paar ogen oplichten? Jee, wat eng. Hij trekt aan
opa's hand. 'Kom nou mee!'
Snel lopen ze verder over het hobbelige bospad.
Wat is dat voor een rare schaduw verderop?
Ineens schiet Matser opa's verhaal over het spookhuis te binnen.
Ze lopen verder, maar plotseling struikelt Matser over een boom-
wortel. In het donker duikelt opa over hem heen.

Gelukkig doen ze zich geen pijn in het zand.

'Het was mijn schuld, opa. Ik had mijn ogen dichtgedaan, omdat ik bang was.'

Opa is niet boos. 'Dat kun je in een wagentje op de kermis wel doen, maar niet als je door een donker bos loopt. Weet je wat, je mag op mijn rug zitten.'

'Ja, fijn!'

Nu is Matser helemaal niet meer bang. Totdat hij aan opa's boek moet denken. Stel je voor dat er wel bosgeesten in de bomen leven. Matser rilt. Dan klemt hij zijn armen stevig om opa's nek en knijpt zijn ogen stijf dicht. Nu is het veilig, want opa is Matsers eigen wagentje door het enge spookbos.

De schat

Na een dag timmeren aan Matsers hut rusten Matser en opa uit in huisje 'Landhuisje'. Ze hebben hun avondeten, een pannetje macaroni dat opa heeft meegenomen, tot de laatste kruimel opgegeten. Matser kan zich niet herinneren dat hij ooit zoveel honger heeft gehad als vandaag.

Na het eten zet opa de radio aan en gaat de krant lezen. Matser verveelt zich.

'Opa?'

Opa laat de krant zakken. 'Ja, knul?'

'Zullen we boven kijken?' vraagt Matser.

'Ben je nieuwsgierig?'

'Ja! Misschien ligt er wel een schat.' Matser spert zijn ogen open.

'Dat zou wat wezen, zeg,' zegt opa. 'Worden we in één klap hartstikke rijk.'

'Ja!' roept Matser opgewonden. 'Kom op!' Matser trekt aan opa's mouw.

Opa vouwt zijn krant op en pakt een zaklamp. Dan haalt hij het laddertje van de wand en zet het onder het luik. Hij klimt omhoog, duwt het luik open en schijnt met de zaklamp rond.

'Wat zie je, opa?'

'Dozen, een koffer en wat oude spullen.'

'Geen schatkist?'
'Nou, ik zie wel een kist.'
'Echt waar?' roept Matser
geestdriftig.
'Ja.'
'Pak hem dan, opa!' roept
Matser ongeduldig.
Opa trekt de kist naar zich toe.
'Hij is loeizwaar,' mompelt hij.
Matser brandt van nieuwsgierigheid. 'Laten we kijken wat erin
zit! Misschien wel gouden munten.'
Opa schuift de kist op zijn schouder en daalt hijgend de ladder
af. Met een klap zet hij de kist op tafel.
Matser probeert het deksel op te tillen, maar dat lukt niet. Hij is
op slot.
'Ik heb ergens een bos sleutels zien liggen,'
zegt opa. 'In het keukenlaatje, geloof ik.'
Matser holt erheen en graait in het
laatje.
'Hebbes!'
Opa ziet meteen welke sleutel hij moet
gebruiken en steekt hem in het slot
van de kist. Opa knikt naar Matser. Hij
mag de kist openmaken. Matsers hart
bonkt van opwinding als hij het deksel optilt.
'Boeken,' mompelt Matser teleurgesteld.
Opa begint ze uit de kist te halen. 'Mijn broer heeft op zee
vast heel veel gelezen. Misschien zit er wel een schatkaart in
verstopt, Matser.'

Matser bekijkt de boeken. Ze zijn oud. Als hij erin bladert, ziet hij
dat de bladzijden vol bruine vlekken zitten. Ze ruiken muf, maar
ook een beetje zout, naar de zee. Hij gelooft al niet
meer in een schat of een schatkaart.
Als ze bijna op de bodem van de kist zijn,
slaakt opa een verbaasde kreet.
'Hé, dit lijkt mijn broers oude fotoalbum wel.'
Opa slaat het open en samen met Matser
bekijkt hij de foto's. Ze zijn zwart-wit.
'Waarom zijn de foto's zonder kleur?' vraagt
Matser.
'Kleurenfoto's bestonden nog niet, die kwamen later.'
'En zulke rare kartelrandjes.'
'Die randjes lijken op een schilderijlijstje, dat vonden ze toen

mooi.'
Matser vindt het maar vreemd.
'Kijk, hier sta ik ook op,' zegt opa.
Ze kijken naar een strandfoto. De
jongens staan er in hun zwembroek
op. Opa heeft een arm om zijn
kleine broertje geslagen. Matser
herkent opa niet. Hij had nog haar
en geen dikke buik. 'Ik denk dat ik
toen zes was en Peter drie.'
Opa bladert verder. Er komt een
foto van jongens die rond een tafel
met een taart erop zitten.
Ze steken juichend hun armen in
de lucht.

'Wat ziet je broer er vreemd uit,' zegt Matser. Hij buigt voorover om goed te kijken. 'Hij heeft een baard.'
'O, dit was op Peters achtste verjaardag,' zegt opa. Hij grinnikt. 'Hij gaf dat jaar een piratenfeestje. Peter was gek op piraten. Mijn moeder had hem geschminkt.' Matser ziet dat de anderen ook als piraten zijn verkleed.
Ze slaan de bladzijde om. Nu herkent Matser opa wel. Hij staat weer samen met zijn broertje op de foto. Peter verkleed als piraat, maar opa niet.

'Waarom heb jij geen piratenpak aan?' vraagt Matser.
'Het was mijn broers feestje en ik vond het kinderachtig om mee te doen met zijn vriendjes, die ook allemaal zeven of acht waren. Ik voelde me te oud.'

'Als ik acht word, ga ik ook een piratenfeestje geven!' roept
Matser enthousiast.
'Mag ik me dan verkleden als piraat?' vraagt opa.
'Vind je het nu niet meer kinderachtig?' vraagt Matser verbaasd.
Opa schudt zijn hoofd. 'Ik had er toen meteen spijt van dat ik het
niet had gedaan. Het was eigenlijk best leuk.'
Matser springt op. 'Dat wordt een hartstikke geinig feest,' roept
hij.
Opa kijkt dromerig voor zich uit. 'Ik ga me verkleden als een
echte zeeroverkapitein. Met een houten poot, een lapje voor mijn
oog, een haak als hand en een papegaai op mijn schouder die
vieze woorden roept.'
'O, opa! Wat voor woorden dan?
Poep en pies?'
Opa gniffelt. 'Ja, zoiets.'
Matser schudt zijn hoofd.
Opa is soms echt grof.

Jong of oud

'Hoi, opa!' Matser gooit zijn rugzakje op de bank.
'Ha, die Matser! Hoe was het op school? Veel dingen geleerd?'
Matser knikt afwezig. Onderweg heeft hij over iets lopen denken.
'Opa, vind je het wel leuk om op mij te passen?' Zijn stem klinkt
een beetje aarzelend.
'Ik vind het hartstikke leuk!' zegt opa. 'Anders zou ik het toch
niet doen. Wat wil je op je brood?'

'Jam, graag.'
Opa draait de jampot open.
'Waarom vraag je dat eigenlijk?'
'De oma van Femke wil niet op haar passen.
Zij heeft daar geen zin in.'
'Dat moet haar oma natuurlijk zelf weten,'

antwoordt opa, 'maar ik denk dat het goed is voor oude mensen
om met jonge mensen om te gaan. Oude mensen onder elkaar
gaan over hun kwalen praten en over vroeger zeuren. Dat is niet
goed.'
Matser neemt een hap van zijn boterham.
'Wij zeuren niet tegen elkaar.'
'Welnee, en weet je, Matser, het leuke van omgaan met jou is dat
jij mij jong houdt.'
Matser slikt zijn hap door. 'Dat begrijp ik niet.'
'Met jou doe ik dingen die ik anders nooit meer zou doen. Weet
je nog dat we van de zomer gingen kamperen in de tuin? En dat
we in de winter sneeuwballen hebben gegooid en gesleed?'

'Dat was geinig.'
'Door jou gedraag ik me soms als een kind.' Opa gniffelt.
'Daardoor voel ik me ook jonger. Kinderen voorkomen dat oude mensen zeurpieten worden. Snap je het nu?'
'Ja, opa. Kinderen zijn dus heel belangrijk,' zegt Matser opgelucht.
Opa knipoogt. 'Je hebt het door!'
Matsers ogen glimmen. Hij krijgt ineens een heel goed idee.

's Middags, als Matser weer naar school is, gaat opa in de tuin zitten. Het is prachtig weer. In het warme zonnetje sukkelt hij in slaap. Plotseling schrikt hij wakker van stemmen.
'Hij is kaal,' hoort hij.
Als hij zijn ogen opent, ziet hij een kleine kring om zich heen staan. Het zijn Matser en vijf andere kinderen uit zijn klas.

Twee meisjes en drie jongens.
'Hoi, opa!' zegt Matser.
'Hoi, opa!' roepen de anderen in koor.
De kinderen bekijken opa van top tot teen.
'Hij ziet er wél oud uit,' zegt een meisje dat naast Matser staat.
De anderen knikken instemmend.
Matser reageert er niet op. 'Opa, is het goed als ze komen spelen?'

Opa, die nog niet helemaal wakker is, knikt. Achter de kinderen ziet hij enkele ouders op het tuinpad staan.

'We komen ze over een uur of twee wel weer ophalen, meneer,' roept een moeder en weg zijn ze.

Nu is opa echt wakker. Hij gaat rechtop zitten.

'Wie zijn jullie allemaal?'

Matser wijst ze aan en noemt hun namen. 'Liesbeth, Femke, Wouter, Winston en Achmed.'

'Matser zegt dat u leuk bent,' zegt Achmed.

Opa zet zijn leukste gezicht op, met zijn ogen wijd open en een grote glimlach om zijn mond.

Wouter grinnikt.

'Wat gaat u met ons doen?' vraagt Femke.

De kinderen kijken opa allemaal verwachtingsvol aan.

'Laten we eerst wat gaan drinken,' zegt hij. 'Met een koekje erbij.'

Matser helpt opa met het inschenken van de limonade.

'Leuk hè, al die kinderen.'

'Heel gezellig,' zegt opa.

Met zijn allen drinken ze limonade. De koek smaakt heerlijk, maar na vijf minuten is alles op.

'Thuis krijg ik altijd sinas en chips,' zegt Winston.

'Is ook lekker,' zegt opa.

'Ik moet plassen,' zegt Liesbeth.

'Kom maar mee.' De anderen lopen ook naar binnen.
'Laten we verstoppertje spelen!' roept Achmed.
'Ja, leuk!' roepen ze allemaal. Opa moet hem natuurlijk zijn.
Als ze genoeg hebben van verstoppertje spelen, hebben
ze honger. Opa heeft nog een leuk plannetje.
Boterhammen versieren en opeten.
Winston laat een boterham met jam op de grond
vallen en Achmed vindt een boterham met dropjes
zo vies dat hij hem op zijn bord uitspuugt.

Als de ouders de kinderen om vijf uur hebben
opgehaald, valt opa uitgeput in zijn stoel neer.
Matser kijkt een beetje bezorgd. 'Opa, voel je je
nu weer jonger?' vraagt hij aarzelend.
Opa begrijpt wat Matser bedoelt. Kinderen maken oude mensen
jonger, had hij gezegd, en veel kinderen dus veel jonger.

'Puff... ja, ik voel me net een kind,' zegt hij.
Hij blaast. 'Hoe laat moet jij elke avond
naar bed, Matser?'
'Om acht uur!'
'Dan ga ik vanavond ook om acht
uur naar bed, net als jij. Zo jong voel
ik me!'
'Hum,' zegt Matser, 'volgens mij
ben je gewoon moe en... oud.'
Opa grinnikt. Zijn kleinzoon laat
zich echt niet voor de gek houden.